los

PITUFOS

™

los Pitufos ™

LA FLAUTA
DE LOS PITUFOS

Volumen 2
La flauta de los pitufos
Título original: "La Flûte à six schtroumpfs"
Primera edición: Agosto de 2013

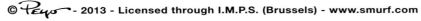
© Peyo - 2013 - Licensed through I.M.P.S. (Brussels) - www.smurf.com

© 2013, Norma Editorial por la edición en castellano.
Passeig de Sant Joan 7 – 08010 Barcelona.
Tel.: 93 303 68 20 – Fax : 93 303 68 31.
E-mail : norma@normaeditorial.com
Dibujo y guión: Peyo
Traducción: IMPS
Rotulación: Joanmi I.O.
ISBN: 978-84-679-1158-9
Depósito legal: B-9111-2013

www.NormaEditorial.com
www.NormaEditorial.com/blog
www.smurf.com

Consulta los puntos de venta de nuestras publicaciones en
www.normaeditorial.com/librerias

Servicio de venta por correo: Tel. 93 244 81 25 – correo@normaeditorial.com,
www.normaeditorial.com/correo

NormaEditorial

¡AAAAAAH!

¡POR FIN!

¡QUÉ CALMA! ¡QUÉ SERENIDAD!

¡UNA DELICIA!

¿SABES QUE HASTA SUEÑO CON ÉL?

¿AH, SÍ? YO TAMBIÉN SUFRO PESADILLAS DE VEZ EN CUANDO... ¡VAYA! ¡UN MERCADER!

NO, NO. VENGO A VER AL SEÑOR PIRLUIT. LO QUE TRAIGO LE INTERESARÁ MUCHO... ¡Y LO VENDO BARATO!

¿QUÉ OCURRE? ¿TRAES ALGO PARA PIRLUIT?

SÍ, MA-JESTAD.

MUY BIEN. ID A BUSCARLO.

SÍ, MAJES-TAD.

¿ALGO QUE LE INTERESA MUCHO? ¿SE TRATA DE COMIDA?

¡NO! ¡JE, JE!...RESULTA MÁS BIEN INDIGESTO. ¡ESPERAD! OS LO MOSTRARÉ.

TRAIGO MARAVILLAS ¡Y MUY BARATAS! SOBRE TODO, MUY BARATAS...

¡MIRAD...! Y TAMBIÉN TRAIGO UN ARPA, UN SALTERIO, UN LAÚD Y OTRO INSTRUMENTO GRANDE! NO SÉ CÓMO SE LLAMA, PERO ARMA MUCHO RUIDO...

¡DESGRACIADO! ¡LLÉVATE TODO ESTO EN SEGUIDA!

NO SABES LO QUE HACES...SI LLEGA A VERLO, ESTAMOS PERDIDOS.

?

¡DEPRISA! PUEDE LLEGAR DE UN MOMENTO A OTRO.

PE... PERO...

¡VAMOS! SUBE A LA CARRETA Y MÁRCHATE AL GALOPE.

AQUÍ TIENES CINCO ESCUDOS, PERO, POR LO QUE MÁS QUIERAS... ¡MÁRCHATE EN SEGUIDA!

¡Y NO INTENTES VOLVER CON ESTA MERCANCÍA, O HARÉ QUE TE AHORQUEN!

¡ESTÁN COMPLETAMENTE LOCOS!

ME HAN DICHO QUE UN MERCADER QUERÍA VERME... ¿ES CIERTO? ¿DÓNDE ESTÁ?

EJEM...

¡UF! ¡POR QUÉ POCO!

EJEM...¿UN... UN MERCADER? ¿AH, SÍ? PUES NO SÉ...

ES VERDAD, QUERÍA FELICITARTE POR TU... EJEM... MÚSICA. PERO LLEVABA PRISA Y HA TENIDO QUE MARCHARSE.

¿AH?

¡QUÉ LÁSTIMA! A PROPÓSITO... ¿QUÉ OS HA PARECIDO MI TONADILLA DE HACE UN RATO?

¡SUBLIME! ¿VERDAD? HE CONSEGUIDO SACARLE UNAS NOTAS REALMENTE DIVINAS A ESE INSTRUMENTO... ¿A QUE NO SABÉIS CÓMO?

!

¡AÑADIÉNDOLE UNA SORDINA!

¡UF! POR FIN SE HA IDO. ANDA, AYÚDAME A LEVANTARME.

¡VAYA! ¿YA NO QUERÉIS DORMIR?

¡NO DIGAS TONTERÍAS! ¿TE PARECE UN BUEN SITIO PARA DORMIR?

¿EH? PERO SI HACE UN MOMENTO...

¡HACE UN MOMENTO PIRLUIT ESTABA AQUÍ! FÍJATE EN LO QUE ESTABA TAPANDO CON MI CUERPO Y COMPRENDERÁS...

¡UNA FLAUTA! ¿DE DÓNDE HA SALIDO?

LA TRAJO ESE DICHOSO MERCADER, SEGURO. ¡DAME! HAY QUE ROMPERLA ANTES DE QUE VUELVA PIRLUIT.

MEJOR SERÁ QUEMARLA. SERÍA CAPAZ DE PEGAR LOS TROCITOS.

¡TIENES RAZÓN! VEN, PRECISAMENTE HE MANDADO ENCENDER UN FUEGO EN MI HABITACIÓN...

¡DÁMELA!

¡YA ESTÁ! ¡AL DIABLO CON ELLA!

¡DONG! ¡DONG! ¡DONG!

¡AH! LA CAMPANA DEL ALMUERZO.

¡VAMOS! LAS EMOCIONES ME HAN ABIERTO EL APETITO.

¡MAJESTAD! ¡VENID! ¡ECHAD UN VISTAZO AL PATIO!

¡CREO QUE ME HAN TOMADO EL PELO!

ALGO MÁS TARDE...

¡AHH! ¡QUÉ BIEN HE COMIDO! TENGO GANAS DE ECHAR UNA SIESTA...

¿EN EL SUELO?

¡QUÉ EXTRAÑO OLOR! ES COMO SI...

¡FUEGOOO!

¡FUEGO, SEÑOR! ¡FUEGO EN VUESTROS APOSENTOS!

¡CIELOS! ¡PARECE GRAVE!

¿POR QUE SERÁ VERDE EL HUMO?

¡TOCAD LA CAMPANA! ¡Y TRAED CUBOS DE AGUA! ¡FORMEMOS UNA CADENA!

¡TÚ SALVA LOS OBJETOS DE VALOR! YO INTENTARÉ APAGAR EL FUEGO...

¡CARAY! ¡ESTO ES VINO! ¡Y DEL BUENO!

¡ES UNA LÁSTIMA TENER QUE DESPERDICIARLO!

¡SÍ...! ¡HIP...! ES UNA... ¡HIP! LÁSTIMA...

PSCHHHH

¡EH, JOHAN! YA ESTÁ APAGADO...

SCHIIIIIII

YA NO HACE FALTA. EL FUEGO ESTÁ APAGADO.

¿YA? PERO... ¿Y TODO ESE HUMO?...

¡ES INCOMPRENSIBLE! NO SE HA QUEMADO NADA. EL ÚNICO FUEGO ERA EL DE LA CHIMENEA. Y NO MUCHO, PUESTO QUE PIRLUIT CONSIGUIÓ APAGARLO CON UNA JARRA DE VINO. ADEMÁS, EL HUMO ES DE COLOR VERDE...

¡VIVAAAAA!

¿QUÉ OCURRE AHORA?

¡MIRAD LO QUE HE ENCONTRADO EN LA CHIMENEA! ¡UNA FLAUTA!

¡ES INCREÍBLE! ESTABA ENTRE LAS LLAMAS Y NO SE HA QUEMADO.

¡DÉJAME VERLA!

¿A QUIÉN SE LE OCURRIRÍA ARROJAR UNA FLAUTA AL FUEGO? ¡SIN DUDA, A UN TONTAINA!

¡EJEM!

¡EH! ¿OS HABÉIS FIJADO? ¡SOLO TIENE SEIS AGUJEROS! ¡QUÉ FLAUTA TAN RARA!

¡ES LA MISMA!

¡ALEGRÁOS! VOY A DEDICAROS UNA MELODÍA...

¡AY!

FFFOUT

¡PA... PA... PARA!

¿OS DIVIERTE MUCHO HACER EL BUFÓN CUANDO YO TOCO?

¡¿PERO...?!

¡PARECE MENTIRA, A VUESTRA EDAD! ¡VUESTRA RIDÍCULA ACTITUD ME HA OFENDIDO! PENSÉ QUE SERÍAIS CAPAZ DE ESCUCHAR LA BUENA MÚSICA EN SILENCIO. ¡ADIÓS!

¡VAYA, PIRLUIT! PARECES MUY ENFADADO. ¿OCURRE ALGO?

¡NADA! SOLO QUE HAY PERSONAS QUE NO SABEN APRECIAR LAS COSAS BELLAS...

¿QUÉ DICES? NO TE... ¡AY! ¿AHORA TOCAS LA FLAUTA?

¡SÍ! ESCUCHA Y DIME SI NO ES UNA MELODÍA MARAVILLOSA...

¿EH?

!

PE... PERO...

¿TÚ TAMBIÉN? ¿VA A DURAR MUCHO EL JUEGUECITO? ESTÁIS TODOS COMPINCHADOS, ¿EH?

AUN ASÍ, NO DEJA DE SER EXTRAÑO... NO PARECÍA ALGO PLANEADO DE ANTEMANO... ¿Y SI ESTA FLAUTA FUERA...? ¡NO! ¡ES IMPOSIBLE!

¡OH, PERDÓN! ¡BUENOS DÍAS, DAMA BARBA!

¡BUENOS DÍAS!

¡AHORA LO VEREMOS! ESTA ESCOBA TIESA NUNCA SE PONDRÍA A BAILAR... A MENOS QUE...

?

¡ENTONCES ES CIERTO! ¡ES UNA FLAUTA ESPECIAL! ¡UNA FLAUTA ENCANTADA!

¡OS...OS LO JURO, SEÑOR!... CUANDO ESE BRIBÓN TOCÓ LA FLAUTA, EMPECÉ A BAILAR SIN PODER PARAR...

EJEM... NO QUISIERA MOLESTAOS, PERO, PARECE INCREÍBLE... ¿ESTÁIS SEGURA DE NO HABERLO SOÑADO?

CREÉIS QUE ESTOY LOCA, ¿VERDAD?

¡MAJESTAD! ¡JOHAN! ¡LA FLAUTA! ¡ESTÁ ENCANTADA!

¡AAAAH! ¡AHÍ ESTÁ! ¡SÁLVESE QUIEN PUEDA!

PERO, ¿QUÉ ES TODA ESTA HISTORIA?

¡ES QUE ES CIERTO! ¡MI FLAUTA HACE BAILAR A LA GENTE! ¿QUIERES PRUEBAS? AHORA VERÁS...

¡CÓMO CORRE TODAVÍA, LA VIEJA!

¡OYE!

¿EH?

¡JI, JI, JI! ¿OS HABÉIS CONVENCIDO YA? ¡JA, JA, JA!

AQUELLA NOCHE, EN LA POSADA DE UN PUEBLECITO, A POCAS LEGUAS DEL CASTILLO...

¡HIC!

¿UNA ZANFONÍA? ¿UNA TROMPA O UNA VIOLA? ¡ELEJID! ¡SON EXCELENTES Y BARATAS!

FIJAOS EN ESTA ZANFONÍA. ¡UNA JOYA QUE VALE SU PESO EN ORO! OS LA VENDO POR DIEZ MONEDAS.

¡PREFERIRÍA ALGO MÁS SENCILLO...! ¡UNA FLAUTA, POR EJEMPLO!

¿UNA FLAUTA? ¡TENÉIS SUERTE! PRECISAMENTE TENGO UNA..., ¡Y QUÉ FLAUTA! UNA MARAVILLA. ¡Y BARATA! ESPERAD, OS LA VOY A ENSEÑAR...

¡VAYA! ¿DÓNDE ESTARÁ? ¡OH, NO! ¡LA HE PERDIDO!

¡QUÉ LÁSTIMA! ERA UN EJEMPLAR ÚNICO. SOLO TENÍA UN PEQUEÑO DEFECTO: TENÍA SEIS AGUJEROS...

¿OS DARÍA IGUAL UN TAMBOR? OS REGALARÉ LOS...

¡EH, TABERNERO! ¡TRAE VINO!

¡VOY!

OYE, AMIGO... ¿ES VERDAD QUE TIENES UNA FLAUTA CON SEIS AGUJEROS?

¿EH? SÍ. PERO, POR DESGRACIA, LA HE PERDIDO ¿POR QUÉ?

ME INTERESAN LAS PIEZAS ÚNICAS ¿NO RECUERDAS DÓNDE LA PERDISTE?

¡ESPERAD...! ¡CLARO! ¡SEGURO QUE FUE EN EL CASTILLO DEL REY! ME HICIERON RECOGER LA MERCANCÍA MUY DEPRISA. ¡SE ME CAYÓ ENTONCES!

¿EN EL CASTILLO DEL REY? ¡JA, JA, JA! ¿Y A QUIÉN HABÍAIS COMPRADO ESA FLAUTA?

PUES... LO CIERTO ES QUE LA ENCONTRÉ EN LA CABAÑA DE UN BRUJO. LOS ALDEANOS ACABABAN DE QUEMARLA...

NO QUEDABAN MÁS QUE UNAS VIGAS CALCINADAS... ENTRE UN MONTÓN DE ESCOMBROS, SURGÍA UNA HUMAREDA VERDE... ¡SÍ, SÍ! ¡VERDE! INTRIGADO, ME ACERQUÉ Y VI LA FLAUTA. ¡INTACTA! ¡QUÉ RARO! ¿VERDAD?

PERO SI QUERÉIS OTRO INSTRUMENTO, LOS TENGO MUY HERMOSOS... ¡Y BARATOS!

NO, GRACIAS, ¡BUENAS NOCHES!

¡TABERNERO! MAÑANA MANDARÁS ENSILLAR MI CABALLO ANTES DEL AMANECER Y ME INDICARÁS POR DÓNDE IR AL CASTILLO DEL REY...

AL DÍA SIGUIENTE...

¡DE TRES FLECHAS, DOS! NO ESTÁ MAL, A CINCUENTA PASOS...

ESTA IRÁ DERECHA AL BLANCO. YA VERÁS.

¡AH, NO!

¡DEJA YA ESA FLAUTA! NO ESTOY PARA...

¿...BAILES...? ¡JA, JA, JA!

¡AAAH!

?

?

LO SIENTO... YO...

¿LO SIENTES? AHORA SI QUE LO VAS A SENTIR...

¡ES CIERTO! HA DADO EN EL BLANCO...

¡VOY A ATIZARTE LA MAYOR PALIZA DE TU VIDA, ARQUERO DE TRES AL CUARTO!

¡EH, EH! ¡CALMA!

OYE, GRANDULLÓN, TRANQUILÍZATE O TE MANDO UN PAR DE FLECHAS A ESA BOLA DE SERRÍN QUE TIENES POR CABEZA.

¡TE VOY A HACER PEDAZOS, MOCOSO!

¿DE VERAS? ¡HABRÁ QUE VERLO!

¡BRUJOOOS!

¡SÁLVESE QUIEN PUEDA!

¡PERO SI ES EL TIPO QUE ESTABA DESMAYADO!

¡HUID! ¡POR ALLÍ HAY DOS BRUJOS!

¿QUÉ HISTORIA ES ESA? ¿QUÉ HA OCURRIDO?

¡ME HAN EMBRUJADO CON UNA FLAUTA!

¿QUÉEEE? ¿CON UNA FLAUTA? ¿UNA FLAUTA DE SEIS AGUJEROS?

¡SI CREÉIS QUE ME HE ENTRETENIDO CONTANDO LOS AGUJEROS...!

¡LO ÚNICO QUE SÉ ES QUE ME HAN HECHO BAILAR COMO UN LOCO! DE PRONTO, ME SENTÍ MUY DÉBIL Y ME DESMAYÉ...

¡SON BRUJOS! ¡OS DIGO QUE SON BRUJOS!

¡LA SUERTE ME SONRÍE! ESOS DOS JÓVENES TIENEN LA FLAUTA QUE BUSCO...

EN ESE INSTANTE, AL OTRO LADO DE LA COLINA...

¡ES EXTRAÑO! TENGO LA IMPRESIÓN DE QUE NOS OBSERVAN DESDE HACE RATO...

NO VEO A NADIE. ¡SERÁN FIGURACIONES TUYAS!

¡ES POSIBLE!

¡PERO JOHAN NO SE EQUIVOCABA! DOS OJITOS, OCULTOS ENTRE LAS HOJAS DE UN ÁRBOL, VIGILAN SUS MOVIMIENTOS...

¡MIRA ALLÍ, JUNTO AL BARRANCO! PARECE EL HOMBRE QUE HACE RATO NOS PREGUNTÓ POR EL CASTILLO.

¡NOS ESTÁ LLAMANDO!

¡EH!

¿OS OCURRE ALGO, SEÑOR?

¡UN ACCIDENTE! ¡UN ESTÚPIDO ACCIDENTE! PASABA MUY CERCA DEL PRECIPICIO, CUANDO UN FUERTE GOLPE DE VIENTO ME HA ARREBATADO EL SOMBRERO...

¡MIRAD DONDE HA IDO A PARAR! ¡ABAJO DEL TODO! YO YA NO SOY TAN ÁGIL, SI NO...

¡PERMITIDME QUE VAYA A BUSCARLO!

¡TEN CUIDADO! NO VAYAS A ROMPERTE UNA PIERNA POR CULPA DE UN SOMBRERO... ¿ME OYES?

¡AHÍ ESTÁ! DOS... CUATRO... SEIS AGUJEROS. ¡ES ESA!

VE POR LA DERECHA, TE SERÁ MÁS FÁCIL. ¡POR LA DERECHA, TE DIGO! EJEM... BUENO, CLARO... PARA TI LA DERECHA ES LA IZQUIERDA...

¡AHORA! TENGO QUE APROVECHAR LA AUSENCIA DEL OTRO...

¿YA LO TIENES? BIEN. ¡CUIDADO AL SUBIR AHORA!...

HAY DESPRENDIMIENTOS Y PUEDE CAERTE UNA PIEDRA EN LA CABEZA.

¡ESPERA! TE ECHO UNA MANO.

¡DE BUENA OS HABÉIS LIBRADO! ¿ALGO ROTO?

¿EH?... NO, CREO QUE NO...

¿QUÉ OS HA OCURRIDO? ¿ACASO OS CREÍAIS UN PAJARILLO?

¡LA CULPA FUE DE TU CABRA! ESE ESTÚPIDO ANIMAL ME DIO UNA TREMENDA CORNADA...

¿CARLOTA?

¿ES QUE SE HA VUELTO LOCA? ¡ME VA A OÍR!

PRIMERO TENDREMOS QUE VOLVER A SUBIR. ¿PODRÉIS ESCALAR?

¡IMPOSIBLE! ¡TENDRÉ QUE QUEDARME AQUÍ DE POR VIDA!

ESPERADME AQUÍ CON PIRLUIT. IRÉ A BUSCAR AYUDA AL CASTILLO. CON UNOS CUANTOS HOMBRES Y UNA BUENA SOGA LOGRAREMOS SACAROS DE AQUÍ...

¡OH, JOHAN! DE PASO, COGE LA FLAUTA. SE ME OLVIDÓ AHÍ ARRIBA.

¡EH! ¡ESPERA! BIEN PENSADO, CREO QUE VOY A PODER SUBIR... BASTARÁ CON QUE ME ECHÉIS UNA MANO...

¿AH, SÍ? BUENO.

¡UF! AÚN NO SE HA PERDIDO NADA.

MIENTRAS, DISIMULADOS TRAS UNA ENORME PIEDRA...

¡ALLÍ ESTÁ!

ANDA, VE.

¡BUENA PITUFA!

SCRAP GNAP

Peyo 20

¡EH!

¡AY!

¡YA CASI ESTOY ARRIBA! EMPUJADME UN POCO MÁS.

¡JOPÉ!

¡ALLÍ ESTÁ! YA ES MÍA. ¡JA, JA!

PAF

¡SOCORRO! ¡ESA BESTIA SIGUE AHÍ!

¡EH!

¡QUIETA, CARLOTA!

¿QUIERES DEJAR TRANQUILO AL CABALLERO, QUE NO TE HA HECHO NADA?

BEEEE

¡NADA DE "BES"! ¡TE ESTÁS PORTANDO MUY MAL! ¡ME AVER- GÜENZO DE TI! ¡VETE Y ESCÓNDETE!

OLVIDAD EL INCIDENTE, SEÑOR... EJEM... ¿SEÑOR?

MATÍAS TORCHESAC.

✿⊛★!✵ ¡FALLÉ!

¡ESTARÁS OCHO DÍAS SIN BERZAS! ¡Y YA PUEDES PONERTE DE MORROS, QUE NO CAMBIARÁ NADA!

PERO MATÍAS TORCHESAC NO ES EL ÚNICO QUE HA FALLADO...

MÁS TARDE, EN EL CASTILLO...

¡BUENAS NOCHES!

¿EH? ¡AH! SOIS VOS...

¡VAYA! NO LLEVA LA FLAUTA...

¿SABES QUE ACABAN DE HACERME GRANDES ELOGIOS DE TI?

¿DE MÍ? ¿ESTÁIS SEGURO?

¡CLARO! DICEN QUE ERES UN MUCHACHO INTELIGENTE, FUERTE, VALIENTE, TRABAJADOR...

¡OH! HAN EXAGERADO... NO MUCHO, CLARO, PERO...

TAMBIÉN ME DIJERON QUE TE GUSTA MUCHO LA MÚSICA...

ESO SÍ. Y TOCO VARIOS INSTRUMENTOS. ¿OS GUSTA LA MÚSICA?

¡OH, LA ADORO! ES MI PASIÓN. NO PODRÍA VIVIR SIN ELLA ¿Y DICES QUE SABES TOCAR?

¡DESDE LUEGO! ¿OS GUSTARÍA OÍRME?

¡NADA ME COMPLACERÍA MÁS!

ENTONCES, ESPERAD UN POCO. CORRO A POR MI INSTRUMENTO Y VENGO EN SEGUIDA...

ESO, ESO... ¡DATE PRISA! ¡CORRE A BUSCAR MI FLAUTITA! ¡JI, JI, JI...!

ESTA VEZ, CARLOTA NO ESTÁ AQUÍ PARA PROTEGERTE...

¡CUIDADO! YA VIENE.

YA ESTOY AQUÍ... DISPUESTO A INTERPRETAROS LA "BALADA DEL CABALLERO COJO"...

DOS HORAS MÁS TARDE...

YA QUE TODO ME DEBÉIS... JUSTO ES QUE PAGUÉEEIS...

¿OS HA GUSTADO? ¿QUERÉIS QUE OS CANTE OTRA MÁS?

¡NO! ¡NO! HA SIDO ESPLÉNDIDO, MAGNÍFICO, PERO NO HAY QUE ABUSAR DE LO BUENO... EJEM...

A PROPÓSITO... TAMBIÉN SABES TOCAR LA FLAUTA, ¿VERDAD? ME HA PARECIDO VER QUE TENÍAS UNA...

SÍ, SÍ. SOLO QUE OS PREVENGO, NO ES UNA FLAUTA COMO LAS DEMÁS...

¡ESTÁ ENCANTADA! CUANDO LA TOCO, LA GENTE SE PONE A BAILAR SIN PARAR...

¡JA, JA! ¡OH, VAMOS! ¡NO ESPERARÁS QUE ME CREA SEMEJANTE COSA!

CON QUE NO, ¿EH? ¡AHORA VERÉIS!

ESTA VEZ YA ES MÍA.

OS PREVENGO QUE, SI OS PONÉIS A BAILAR COMO UN LOCUELO, SERÉIS VOS QUIEN LOS HABRÉIS QUERIDO.

¡DONG!

¡OH, ESCUCHAD!

¿QUÉ? ¿QUÉ PASA?

¡DONGDILONG! ¡DONGDILONG! ¡DONG!

¡YUPIIII! ¡ES LA CAMPANA QUE ANUNCIA LA HORA DE CENAR! ¡ÑAM, ÑAM! ¡VAMOS CORRIENDO!

◎!⚡✦ PERO... ¿ES QUE ★✦✦◎ JAMÁS VOY A CONSEGUIR HACERME CON ✦✦☆✦ ESA ⚡✦◎✦ FLAUTA?

27

UN POCO MÁS TARDE EN LA HABITACIÓN DE PIRLUIT...

¡CON CUIDADO!

¡SSST!

¿LA TIENES?

¡SÍ!

NO SÉ QUE TIENES CONTRA ÉL...

¡CUIDADO!

¡PITUFOS, REPITUFOS Y CONTRAPITUFOS!

A MÍ, ESE MATÍAS TORCHESAC ME RESULTA SIMPÁTICO.

NO SÉ, A MÍ NO ME INSPIRA CONFIANZA...

¡OH, VAMOS! IMAGINACIONES TUYAS. ¿JUGAMOS UNA PARTIDA DE AJEDREZ ANTES DE DORMIR?

¡OH, NO! TÚ SIEMPRE HACES TRAMPA Y ADEMÁS ME CAIGO DE SUEÑO. ¡BUENAS NOCHES!

QUE HAGO TRAMPAS... ¿YO? ¡QUÉ CARA TIENE! ADEMÁS, SI NO LO HICIERA, SERÍA ÉL QUIEN GANARÍA SIEMPRE.

¡VAYA! ¿QUIÉN HA MOVIDO EL CASCO? NO ESTÁ EN SU LUGAR.

¡AY!

¡AY!

TOC
TOC
TOC

¡ADELANTE!

SOY YO, QUE VENGO A DARTE LAS BUENAS NOCHES. ¿ESTÁS SOLO?

¡SÍ! PASAD, PASAD.

¡VAYA! CON QUE ESTA ES LA FAMOSA FLAUTA.

PUES SÍ, ES ESTA.

28

Y, SEGÚN DICES, ¿SI YO TOCARA, TE PONDRÍAS A BAILAR?

ASÍ ES. Y SI LA TOCO YO, SERÍA USTED QUIEN BAILARÍA. FIJAOS BIEN.

¡EH! ¡AH! ¡OH! ¡BA... BASTA!

¡JA, JA, JA! ¿OS HABÉIS CONVENCIDO AHORA?

PUES... YO... PFF... ¡SÍ, SÍ! ES... PFF... INCREÍBLE...

¿POR QUÉ NO ME DEJÁIS TOCAR UN POQUITO A MÍ? SOLO UNA VEZ, PARA VER SI A TI TE HACE EL MISMO EFECTO...

ES QUE... NO ME GUSTA SEPARARME DE ELLA...

¡COMPRENDO! NO CONFÍAS EN MÍ... SÍ, SÍ. YA ME HE DADO CUENTA. ¡QUÉ PENA SIENTO! ¡SNIF! YO, QUE CREÍA HABER HALLADO EN TI A UN AMIGO... ¡EN FIN! NO SE HABLE MÁS...

¡OH, VAMOS! NO OS DISGUSTÉIS. AQUÍ TENÉIS LA FLAUTA. PERO PROMETEDME QUE DEJARÉIS DE TOCAR CUANDO YO OS LO PIDA.

¡LO JURO!

AL DÍA SIGUIENTE...

OS ASEGURO QUE LO VI MARCHARSE ESTA NOCHE. YO ESTABA DE GUARDIA EN EL PUENTE LEVADIZO.

¡QUÉ RARO! ¡QUÉ MARCHA TAN PRECIPITADA! VERÉ SI POR LO MENOS SE DESPIDIÓ DE PIRLUIT.

¡SEGURO QUE ESE PEREZOSO SIGUE RONCANDO!

¡MNNBLM! ¡¡¡BLMG IMMBM GLM!!!

29

¡GRANUJA! ¡LADRÓN! ¡BANDIDO!

¡OH! ¡QUÉ LENGUAJE!

¡FIAMBRE EN POTENCIA! ¡TRUHÁN! ¡PILLASTRE! ¡BELLACO!

PERO... ¡PIRLUIT!

¡SOCORROOOO!

¿DÓNDE TE OCULTAS, FAKI... ER... FACINEROSO? ¡VEN, QUE TE DESTRIPE!

¡QUERÍAS HACERME BAILAR, ¿VERDAD? ¡VERÁS QUIEN VA A BAILAR AHORA...

...AL EXTREMO DE UNA CUERDA!

¡CANALLA! ¡HARÉ QUE TE DESANGRES COMO UN CONEJO!

PERO, ¿QUÉ TE HE HECHO YO?

¿QUÉ OCURRE? ¿A QUÉ VIENE ESE ESCÁNDALO?

¡TE CORTARÉ EN RODAJAS! ¡COMO A UN SALCHICHÓN!

¡AH, MAJESTAD! ¡LLEGÁIS QUE NI CAÍDO DEL CIELO! ¡PIDO JUSTICIA, SEÑOR! **¡ME HAN ROBADO LA FLAUTA!**

¡AAAH! ¡QUE BIÉN! ¡POR FIN VIVIREMOS TRANQUILOS!

PERO... PERO... SEÑOR... ¡HAY QUE DETENER AL LADRÓN! ¡HAY QUE AHORCARLO!

CLARO, CLARO...

¡AH, ESTÁS AHÍ! ¿QUÉ HA SUCEDIDO?

¡MATÍAS TORCHESAC! ¡ME HA ROBADO LA FLAUTA! ¡ME LA PIDIÓ PARA PROBARLA Y ME JURÓ QUE PARARÍA EN CUANTO YO SE LO DIJERA, PERO NO CESÓ DE TOCAR HASTA QUE ME DESMAYÉ! ¡CUANDO DESPERTÉ, HABÍA DESAPARECIDO, DEJÁNDOME ATADO Y AMORDAZADO!

¡AHORA COMPRENDO POR QUÉ SE MARCHÓ AYER POR LA NOCHE!

BUENO... BUENO... TARDE O TEMPRANO, LE CAPTURAREMOS. NO NOS PONGAMOS DRAMÁTICOS.

¡TODO LO CONTRARIO! ESA FLAUTA TIENE EL PODER DE HACER QUE LA GENTE CAIGA DESMAYADA SI SE LE TOCA EL TIEMPO SUFICIENTE. IMAGINAOS EL PARTIDO QUE PENSARÁ SACARLE TORCHESAC...

¡Y MIENTRAS TANTO, NOSOTROS, PERDIENDO EL TIEMPO AQUÍ! ¡HAY QUE SALIR ENSEGUIDA TRAS ÉL!

¿CÓMO QUIERES QUE LO ENCONTREMOS? NI SIQUIERA SABEMOS QUÉ DIRECCIÓN TOMÓ.

¡ES IGUAL! ¡RECORREREMOS TODA LA REGIÓN HASTA QUE EL AZAR NOS PONGA EN EL BUEN CAMINO...!

DESDE LUEGO, ES UNA POSIBILIDAD.

¡LA ÚNICA QUE TENEMOS! ¡MANDA QUE ENSILLEN TU CABALLO!

Y UNOS INSTANTES MÁS TARDE...

¡ASÍ QUE LE GUSTA LA MÚSICA! ¡MUY BIEN! ¡YO MISMO LE COMPONDRÉ UN RÉQUIEM!

JOHAN Y PIRLUIT RECORREN EL PAÍS DURANTE TRES SEMANAS, INTERROGANDO A TODO EL QUE ENCUENTRAN...

...DESDE LOS GRANDES SEÑORES...

...A LOS CAMPESINOS.

PREGUNTAN A LOS HABITANTES DE CADA CIUDAD, PUEBLO O ALDEA, PERO POR MUY DETALLADA QUE SEA LA DESCRIPCIÓN DE PIRLUIT...

...LA RESPUESTA ES SIEMPRE LA MISMA. ¡NADIE HA VISTO A MATÍAS TORCHESAC!

LOS ÁNIMOS COMIENZAN A DECAER...

Y CUANDO YA TODO PARECÍA PERDIDO...

UN MES MÁS TARDE...

¡NADA! ¡SEGUIMOS IGUAL! COMIENZO A PERDER LA ESPERANZA DE ENCONTRAR A TORCHESAC...

¡Y YO! ¡MIRA! ¡UNA POSADA!

SEGURO QUE SE HA MARCHADO DEL PAÍS. ¡QUIÉN SABE POR DÓNDE ANDARÁ A ESTAS HORAS!

¡SÍ! ¡ES LO MÁS PROBABLE!

SERÁ MEJOR QUE ABANDONEMOS. DEMOS MEDIA VUELTA Y VOLVAMOS AL CASTILLO. ¿DE ACUERDO?

SÍ, TIENES RAZÓN. DE NADA SERVIRÁ CONTINUAR.

¿QUÉ PASA? ¿ES QUE NO HAY NADIE EN ESTA POSADA?

¡TIENES RAZÓN! ¡EH, TRAIGANOS DE COMER! ¡POSADERO! ¿ES QUE NO HAY NADIE?

¡TENGO HAMBRE!

¡POSADERO!

PERO, ¿QUÉ PASA AQUÍ? ¡TIENE QUE HABER ALGUIEN O NOS HABRÍAMOS ENCONTRADO LA PUERTA CERRADA...!

¡OH! ¡JOHAN! ¡VEN DE PRISA!

¿QUÉ OCURRE? ¡OH!

¡UF! ¡GRACIAS! ¡QUÉ AVENTURA! ¡ES INCREÍBLE! ¡FIGURAOS QUE DURANTE MÁS DE UN MES HE TENIDO UN HUÉSPED QUE, DE VEZ EN CUANDO, SE AUSENTABA DURANTE UN DÍA O DOS "DE RECONOCIMIENTO", SEGÚN DECÍA...

PERO ESTA MAÑANA ME DIJO: "CREO QUE YA ES HORA. ¡TÚ SERÁS MI PRIMER CLIENTE!". ENTONCES, SACA UNA FLAUTA Y SE PONE A TOCAR. Y YO, ME PUSE A BAILAR COMO SI...

¿QUÉ? ¿ES UN HOMBRE GORDO, MORENO Y CON BARBA? ¡SU NOMBRE! ¿OS DIJO SU NOMBRE?

PUES SÍ... MATÍAS TORCHESAC.

MIENTRAS, A ALGUNAS LEGUAS, EN EL PUEBLECITO DE CHANTONOY...

¡SOOO!

VAMOS A VER... TENGO QUE VISITAR AL ALCALDE, AL USURERO Y AL ORFEBRE. LOS DEMÁS NO ME INTERESAN. ¡COMENZARÉ POR EL ALCALDE!

TAC TAC TAC

¿QUÉ DESEÁIS?

QUIERO HABLAR CON EL ALCALDE.

UN MOMENTO.

EL ALCALDE NO ESTÁ.

¡QUÉ LÁSTIMA! LE TRAÍA CIEN ESCUDOS QUE...

¿AH, SÍ? ¡PASAD, PASAD! PRECISAMENTE ACABA DE LLEGAR...

¡EH!

¡OH! ¡AY!

¡BUM!

AHORA, A CASA DEL USURERO...

¡YA VOY! ¡YA VOY...!

BUM BUM

¡EH!

¡SOCOR...!

¡A MI...!

¡BUM!

¡COMO SE HA RESISTIDO! Y AHORA AL ORFEBRE.

¿DESEA UNA JOYA, SEÑOR?

NO, LAS QUIERO TODAS.

¡YA ESTÁ! ¡Y SIN PROBLEMAS! ¡JA, JA! ¡ESTA FLAUTA ES UNA MARAVILLA!

AH, SÍ. CREO QUE YA SÉ A QUIÉN OS REFERÍS. LE HE VISTO ENTRAR EN CASA DEL ORFEBRE, AHÍ, AL DOBLAR LA ESQUINA.

30

¿QUÉ PIENSAS HACER CON NOSOTROS?

¡PRONTO LO SABRÉIS!

¡YA HEMOS LLEGADO! AQUÍ ES DONDE VAMOS A SEPARARNOS.

?

PERO ANTES OS DARÉ UN CONSEJO: ¡NO VOLVÁIS A INTENTAR QUITARME LA FLAUTA! SI TROPIEZO DE NUEVO CON VOSOTROS, OS DEDICARÉ UNA CANCIÓN... **¡DE LA QUE NO DESPERTARÉIS!**

Y AHORA LO SIENTO, PERO ME VEO OBLIGADO A DORMIROS. ¿PREFERÍS ALGUNA MELODÍA EN PARTICULAR? ¡JA, JA!

ALGUNOS INSTANTES MÁS TARDE...

¡ALARMA! CHATONOY HA SIDO ASALTADO POR TRES BANDIDOS.

CONSEGUÍ ATRAPAR Y ACOGOTAR A DOS DE ELLOS. ¡DEPRISA! ¡COGEDLOS Y ENCERRADLOS!

¡NO OS CONFIÉIS! ¡SON PELIGROSOS Y ASTUTOS! ¡NO LOS SOLTÉIS BAJO NINGÚN PRETEXTO!

¡NO OS PREOCUPÉIS!

YO SEGUIRÉ PERSIGUIENDO AL TERCERO. ¡HASTA LA VISTA!

¡JI, JI! ¡ME GUSTARÍA PODER VERLES LAS CARAS CUANDO DESPIERTEN...!

¡OS REPITO QUE NO FUIMOS NOSOTROS! ¡EL LADRÓN ERA ÉL! ¡ABRID LA PUERTA, PANDILLA DE ATONTADOS!

BOM
BOM
BOM
BOM

33

AL DÍA SIGUIENTE, JOHAN Y PIRLUIT SON LLEVADOS A CHATONOY DONDE, TRAS MUCHAS DISCUSIONES, CONSIGUEN PROBAR QUE SON INOCENTES...

LO SENTIMOS MUCHO... ¡LO SENTIMOS MUCHÍSIMO!

¡TORCHESAC SE HA SALIDO CON LA SUYA! YA ESTARÁ MUY LEJOS DE AQUÍ Y SERÁ CASI IMPOSIBLE DAR CON ÉL.

PERO, ¿ES QUE PRETENDES SEGUIR PERSIGUIÉNDOLO? ¿ES QUE NO RECUERDAS LO QUE DIJO? SI VUELVE A ENCONTRARSE CON NOSOTROS, NOS MANDA A DORMIR PARA SIEMPRE...

¡ES UN RIESGO QUE DEBEMOS CORRER! ¿QUÉ QUIERES QUE HAGAMOS? ¡NO PODEMOS ABANDONAR AHORA!

NO, CLARO... ¡AH! ¡OJALÁ ESA FLAUTA PUDIERA PERDER SU PODER!

¡OYE! ESO QUE DICES NO ES NINGUNA TONTERÍA... ¡CIELOS! ¿CÓMO NO SE ME HABÍA OCURRIDO ANTES? ¡ÓMNIBUS!

¿EL HECHICERO?

¡ÉL DEBE DE CONOCER EL MODO DE DESENCANTAR LA FLAUTA! ¡VAMOS!

¡TOMA, ES VERDAD!

SU CASA NO ESTÁ MUY LEJOS. LLEGAREMOS ANTES DE LA NOCHE.

JOHAN, ERES GENIAL... ¡CASI TANTO COMO YO!

UNAS HORAS MÁS TARDE, NUESTROS HÉROES LE CUENTAN AL MAGO SU AVENTURA...

¡LO SIENTO, AMIGOS MÍOS, PERO NO PUEDO HACER NADA POR VOSOTROS! NADIE CONOCE EL SECRETO DE LAS FLAUTAS ENCANTADAS...

¿NADIE? ¿SEGURO?

NADIE, EXCEPTO LOS PITUFOS, CLARO.

¡A VUESTRA SALUD!

¿LOS QUÉ...?

¡LOS PITUFOS! ELLOS SON QUIENES FABRICAN LAS FLAUTAS ENCANTADAS...

¡AH! TAL VEZ PUEDAN AYUDARNOS ESOS, ER...COMO SE LLAMEN...

SÍ, PERO VIVEN EN EL PAÍS MALDITO. ¡NINGÚN CAMINO LLEVA HASTA ÉL! HAY QUE FRANQUEAR TORRENTES VERTIGINOSOS DE PAREDES ABRUPTAS... ATRAVESAR PANTANOS QUE DESPRENDEN VAPORES TÓXICOS... BOSQUES INFESTADOS DE SERPIENTES... ARENAS MOVEDIZAS... ¡NO, CREEDME! NADIE PODRÍA LLEGAR JAMÁS AL PAÍS MALDITO...

CLARO QUE PODRÍA INTENTAR MANDAROS ALLÍ... MEDIANTE LA HIPNOQUINESIS. ¿QUÉ OS PARECE?

PUES...

EJEM...

¡MUY BIEN! ENTONCES DE ACUERDO. VAMOS A INICIAR EL EXPERIMENTO AHORA MISMO.

SENTAOS AHÍ.

¿QUÉ VAIS A HACER CON NOSOTROS? ¡NADA DE BROMITAS! ¿EH?

NO, NO. SOLO VOY A DORMIROS Y....

¿OTRA VEZ? ¡ESTO DE DORMIRNOS SE ESTÁ CONVIRTIENDO EN UNA MANÍA!

¡SST! ¡CÁLLATE, HOMBRE!

CAERÉIS EN UN SUEÑO LETÁRGICO. DESPUÉS, GRACIAS A CIERTAS FÓRMULAS MÁGICAS, DESDOBLARÉ VUESTRA PERSONALIDAD Y HARÉ QUE VUELVA A MATERIALIZARSE EN EL PAÍS MALDITO. ESTARÉIS AQUÍ, PERO EN REALIDAD ESTARÉIS ALLÍ. ¿ENTENDIDO?

¡NI PIZCA!

ES IGUAL. MIRADME FIJAMENTE A LOS OJOS. RELAJAOS. NO PENSÉIS EN NADA...

...RELAJAOS... TENÉIS QUE DORMIR... DORMIR... DORMIR... DORMIR... DORMIR...

¿DON... DÓNDE ESTÁ ÓMNIBUS? ¿DÓNDE ESTAMOS?

¡EN EL PAÍS MALDITO!

DESDE LUEGO, NO TIENE UN ASPECTO MUY ALEGRE.

¿DÓNDE ESTÁN ESOS DICHOSOS PITUFOS?

¡QUÉ RARO! NI SIQUIERA SE VE LA MENOR CASA...

¡QUÉ LUGAR TAN SINIESTRO!

¡Y QUÉ FEO!

¡MIL PITUFOS! ¿ES QUE NO MIRÁIS DÓNDE PITUFÁIS LOS PIES? ¡POR POCO ME PITUFÁIS!

¡UY! PERO SI SON JOHAN Y PIRLUIT! ¡ESTA SÍ QUE ES PITUFA! ¿QUÉ HABÉIS VENIDO A PITUFAR AQUI?

¿CÓMO? ¿NOS CONOCES?

¡CLARO! CUANDO TODAVÍA TENÍAIS LA FLAUTA DE SEIS PITUFOS QUISIMOS PITUFÁROSLA, PERO...

¿CÓMO? PERDONA, PERO NO ENTENDEMOS NI UNA PALABRA DE LO QUE DICES.

¡OH, ES VERDAD! ¡VOSOTROS NO PITUFÁIS EL PITUFO!

¡PITUFADME! OS PITUFARÉ HASTA LA CASA DE PAPÁ PITUFO...

¿ENTIENDES ALGO DE TODO ESE GALIMATÍAS?

¡NO! PERO NOS HA HECHO UNA SEÑAL DE QUE LO SIGAMOS.

¿ADÓNDE NOS LLEVARÁ?

NO SÉ... CON SUS COMPAÑEROS, SIN DUDA.

ESPERO QUE LOS DEMÁS PITUFOS NO HABLEN TAMBIÉN DE "PITUFAR" Y DE "PITUFARNOS", O NO HABRÁ QUIEN SE ACLARE...

¡HEMOS LLEGADO!

¡OH, DOS PITUFOS!

¿QUÉ VIENEN A PITUFAR AQUÍ?

¡QUÉ ASPECTO TAN PITUFO TIENEN!

¡AH! ¡AHÍ VIENE PAPÁ PITUFO! NUESTRO GRAN JEFE!

¡CARAMBA! ¡SI ESTE ES EL GRAN JEFE, YO SOY EL INMENSO PIRLUIT!

¡PAPÁ PITUFO! AQUÍ ESTÁN JOHAN Y PIRLUIT...

¡AJÁ!

¡SED BIENVENIDOS! ¿CÓMO HABÉIS CONSEGUIDO LLEGAR HASTA AQUÍ? ¡CREÍA QUE ERA IMPOSIBLE!

¡AH! ¡A TI POR LO MENOS SE TE ENTIENDE!

¡EL MAGO ÓMNIBUS NOS DURMIÓ, Y NOS HEMOS DESPERTADO AQUÍ!

¡AH, YA COMPRENDO! ¿NO PODRÍAIS AGACHAROS UN POCO? EMPIEZO A TENER TORTÍCOLIS... ¡NO! ¡UN MOMENTO!

¡ACERCAOS!

VOSOTROS, PITUFAOS A OTRO SITIO.

PERO PAPÁ PITUFO, NOSOTROS NO...

¡A CALLAR! TENGO QUE PITUFAR EN SERIO CON ESTOS DOS PITUFOS. ¡FUERA!

¡ESOS CRÍOS! PIENSAN QUE PORQUE TIENEN CIEN AÑOS SE LES PUEDE CONSENTIR TODO...

?

¿QUÉ? ¿TIENEN CIEN AÑOS?

¿Y LES LLAMA CRÍOS? ENTONCES... USTED, ¿QUÉ EDAD TIENE?

PUES... CUMPLÍ 542 HACE POCO.

¿542? ¡PUES NO LOS APARENTA!

BUENO, VAYAMOS AL GRANO. NO HABÉIS CONSEGUIDO ARREBATARLE LA FLAUTA DE SEIS AGUJEROS AL GRANUJA DE TORCHESAC Y HABÉIS VENIDO A PEDIRNOS AYUDA, ¿VERDAD?

¡PUES SÍ! ¿CÓMO LO HA ADIVINADO?

¡MUY SENCILLO! SUPIMOS QUE UN MERCADER ENCONTRÓ UNA DE NUESTRAS FLAUTAS ENTRE LAS CENIZAS DE LA CASA DE UN MAGO AL QUE SE LA HABÍAMOS REGALADO...

COMO NO ES BUENO QUE CAIGA EN MANOS PROFANAS, MIS PITUFOS PARTIERON EN SU BUSCA...

MIENTRAS TANTO, EL MERCADER LA PERDIÓ Y VOSOTROS OS LA QUEDASTEIS, HASTA QUE TORCHESAC OS LA ROBÓ... NI SIQUIERA LO SOSPECHABAIS, ¿VERDAD?

AHORA MIS PITUFOS VAN SIGUIENDO A TORCHESAC ESPERANDO EL MOMENTO OPORTUNO PARA QUITÁRSELA... ¡PERO NO TENGO MUCHAS ESPERANZAS! ESE TIPO ES MUY DESCONFIADO Y ASTUTO...

¿NO HAY MEDIO DE QUE CESE EL ENCANTAMIENTO DE LA FLAUTA? ESO LO SOLUCIONARÍA TODO.

¡NO! POR DESGRACIA, ES IMPOSIBLE.

PUES ENTONCES, NO TENDREMOS MÁS REMEDIO QUE VOLVER A PERSEGUIR A ESE BRIBÓN...

¿A QUIÉN SE LE OCURRE FABRICAR FLAUTAS ASÍ? ¡EN BUEN LÍO NOS HABÉIS METIDO!

¿Y SI OS PROPORCIONAMOS LA FORMA DE LUCHAR CON LAS MISMAS ARMAS?

¿QUÉ QUIERES DECIR?

¡PODRÍAMOS FABRICAR OTRA FLAUTA DE SEIS AGUJEROS!

¡ES UNA IDEA ESTUPENDA!

¡CLARO! ESA ES LA SOLUCIÓN. ¿CUÁNTO TARDARÍAIS EN FABRICARLA?

ESPERAD. ¡EH, PITUFO!

¿CUÁNTOS PITUFOS NECESITÁIS PARA PITUFAR UNA NUEVA PITUFA DE SEIS PITUFOS?

PUES... PITUFANDO RÁPIDO... PITUFEMOS TRES PITUFOS.

DICE QUE HAY QUE CONTAR CON UNOS TRES DÍAS. ¡VENID! ¡NO HAY TIEMPO QUE PERDER! ¡A TRABAJAR!

43

UN POCO MÁS TARDE...

¡ESE ES EL ÁRBOL QUE NECESITAMOS!

¿QUERÉIS QUE ME SUBA? OS CORTARÉ LA RAMA QUE NECESITÁIS.

¡NO ES UNA RAMA LO QUE HAY QUE CORTAR, SINO EL ÁRBOL ENTERO!

¿CÓMO? ¿UN ÁRBOL ENTERO PARA FABRICAR UNA FLAUTITA TAN RIDÍCULA? ¡QUÉ TONTERÍA!

¡A ESO LO LLAMO YO DES- PILFARRAR!

¡NO PRETENDERÁS ENSEÑARNOS A FABRICAR UNA FLAUTA DE SEIS AGUJEROS! ¿VERDAD?

¡VAIS A TARDAR SIGLOS CON ESAS HERRAMIENTAS!

¡MMMM!

¿NO HUBIERA SIDO MEJOR EMPEZAR POR LA OTRA RAÍZ? ASÍ HUBIERAS...

¡NO!

PUES SI YO ESTUVIERA EN TU LUGAR...

¿QUIERES PITUFARTE DE UNA VEZ?

BUENO, BUENO... HAZ LO QUE TE DÉ LA GANA, PERO QUE CONSTE QUE...

¡POR TODOS LOS PITUFOS! ¿ES QUE NO NOS VAS A DEJAR PITUFAR EN PAZ, PEDAZO DE PITUFO?

OYE, EL PITUFO LO SERÁS TÚ...

¡OH! ¡PITUFO! ¡ME HA LLAMADO "PITUFO"!

¡MALEDUCADO! ¡NO PIENSO FABRICAR TU FLAUTA DE SEIS AGUJEROS! ¡HALA!

¿QUÉ OCURRE?

¡ME HA LLAMADO PITUFO!

¡EMPEZÓ ÉL!

VAMOS, VAMOS, SED RAZONABLES... NO ES MOMENTO DE DISCUTIR...

¿ES QUE NO RECORDÁIS QUE TORCHESAC VA DESVALIJANDO A TODO EL MUNDO MIENTRAS VOSOTROS OS DEDICÁIS A PELEAROS?

¡JOHAN TIENE RAZÓN! HAGAMOS LAS PACES. DAME EL HACHA. VOY A AYUDAR.

¡ERES MUY AMABLE!

¡AHORA, FÍJATE BIEN EN MI TÉCNICA! LA MADERA VA A SALIR VOLANDO...

?

CRAC

EJEM... TENÉIS UNAS HERRAMIENTAS POCO RESISTENTES...

¡BASTA! ¡POR PIEDAD! ¡NO NOS AYUDES MÁS!

SERÁ MEJOR QUE VAYAS A POR LEÑA... ¡Y LEJOS, BIEN LEJOS! DESPUÉS ENCIENDE UNA HOGUERA... TENDREMOS QUE TRABAJAR TODA LA NOCHE...

Y HORAS DESPUÉS...

EL PITUFO-PITUFO-PITUFO, QUE HACÍA PITUFA-PITUFA-PITUFA UN PITUFO, DOS PITUFOS,TRES PITUFOS-PITUFOS-PITUFOS...

SI NO RECUERDO MAL, FUISTE TÚ QUIEN TUVO LA GRAN IDEA DE DECIRLES : "¿POR QUÉ NO CANTÁIS MIENTRAS TRABAJÁIS?"

AL DÍA SIGUIENTE...

TAC
TAC
TAC

¡CUIDADO!
¡PITUFAOS TODOS!

RRRROOOO
RO PSSSSS
RROOO
PSSSS

CRRRAAAC
BOUM

¿EEEH?

¡AH! ¿YA ESTÁS DESPIERTO? ¡MIRA! ¡HAN DERRIBADO EL ÁRBOL!

¡MMH!

BUENO, EL TRABAJO MÁS PESADO YA ESTÁ HECHO. YA PODEMOS FABRICAR LA FLAUTA CON EL CORAZÓN DEL ÁRBOL...

¡CÓMO DETESTO DESPERTARME CON UN SOBRE-SALTO!

SI TODO MARCHA BIEN, MAÑANA ANTES DE QUE OSCUREZCA HABREMOS TERMINADO Y PODRÉIS PARTIR DE NUEVO EN BUSCA DE TORCHESAC...

TENDRÉ DOLOR DE CABEZA TODO EL DÍA. ¡ES UNA LATA!

A PROPÓSITO... ¿CÓMO PODREMOS VOLVER A DAR CON ÉL? NO SABEMOS DÓNDE SE ENCUENTRA AHORA.

VOSOTROS, NO; PERO NOSOTROS, SÍ.

¡QUÉ ASCO DE PAÍS!

COMO OS DIJE, VARIOS PITUFOS LE ANDAN SIGUIENDO Y NOS TIENEN AL CORRIENTE DE CUANTO HACE ESE BANDIDO. EN CUANTO LA FLAUTA ESTÉ LISTA, LES DARÉ ÓRDENES DE QUE OS GUÍEN HASTA ÉL...

¡PAPÁ PITUFO! ¡POR ALLÍ VIENE UN PITUFO PITUFANDO!

Peyo 42

¡AHÍ VIENE UNO DE LOS PITUFOS QUE SIGUE A TORCHESAC!

¡EH!

¿QUÉ PASA?

¡MALAS PITUFAS, PAPÁ PITUFO!

SIENTO CURIOSIDAD POR SABER QUÉ HA SIDO DE ESE GRANUJA.

LO QUE ESTÁ CLARO ES QUE EL PITUFO NO HA CONSEGUIDO QUITARLE LA FLAUTA.

¡MALAS NOTICIAS! TORCHESAC CONTINÚA PITUFANDO LAS CIUDADES SIN QUE NADIE PUEDA PITUFÁRSELO.

¡PERO HAY ALGO MÁS GRAVE AÚN! MIS PITUFOS HAN AVERIGUADO QUE SE DIRIGE HACIA LA COSTA, DONDE PIENSA EMBARCARSE RUMBO AL EXTRANJERO. ¡Y NOSOTROS NO PODEMOS SEGUIRLE POR MAR!

NUESTRA ÚLTIMA ESPERANZA ES QUE CONSIGÁIS ALCANZARLO ANTES. ¡HAY QUE ACELERAR EL TRABAJO!

SIN TOMARSE NI UN INSTANTE DE REPOSO, LOS VALIENTES PITUFOS PROSIGUEN LA TAREA...

VAN TRANSCURRIENDO LAS HORAS Y, POCO A POCO, LA FLAUTA VA TOMANDO FORMA...

¡JOHAN! ¡JOHAN! ¡YA ESTÁ! ¡YA LO ENTIENDO!

¿QUÉ ENTIENDES?

¡EL IDIOMA PITUFO! ES MUY FÁCIL. BASTA CON SUSTITUIR TODOS LOS NOMBRES POR "PITUFO" Y TODOS LOS VERBOS POR "PITUFAR".

¿ESTÁS SEGURO DE QUE ES TAN SENCILLO?

43

47

48

Y TRAS OTRA NOCHE ENTERA DE TRABAJO...

¡POR FIN! YA ESTÁ TERMINADA.

¡AH! ¿PODEMOS VERLA?

¿ESTÁIS SEGURO DE QUE ESTÁ ENCANTADA COMO LA OTRA?

SERÍA MEJOR QUE LA PROBÁRAMOS.

¡NO! ¡QUE TE VEO VENIR! DAME LA FLAUTA AHORA MISMO. SERÉ YO QUIEN LA PRUEBE...

¡VAYA! ¿Y POR QUÉ TÚ Y NO YO?

PARA EMPEZAR, NO SABES NADA DE MÚSICA, Y EN CAMBIO, BAILAS DIVINAMENTE BIEN. BUENO, ¿ESTÁS LISTO?

!

PERO...¡SI NO FUNCIONA!

¡VUESTRA FLAUTA NO ESTÁ EN-CANTADA!

DÉJAME VERLA.

SEGURO QUE HAN OLVIDADO MOJARLA CON ZUMO DE MANDRÁGORA... ¡PANDILLA DE PITUFOS! ¡ESPERAD! AHORA MISMO LO ARREGLO...

¡MENOS MAL QUE SE NOS OCURRIÓ PROBARLA!

SÍ.... UAAAH... ¡OYE... QUÉ SUEÑO TENGO!

¡YA ESTÁ! ESPERAD UN POCO MÁS A QUE ESTÉ BIEN SECA Y ESTA VEZ OS ASEGURO QUE FUNCIONARÁ...

¡MMMM!

¿QUÉ PASA? ¿OS ENCONTRÁIS MAL?

¡NO! NO... SÉ... LO QUÉ... ME... PASA...

ME... ME PESA LA CABEZA... YO...

¡AH! ¡YA DESPIERTAN!

PERO... PERO... ¿QUÉ HACEMOS AQUÍ?

¡ÓMNIBUS!

¿QUÉ TAL HA IDO?

¡POR TODOS LOS DIABLOS! ¿POR QUÉ NOS HABÉIS HECHO VOLVER?

¡ES DEMASIADO PRONTO, HOMBRE! PODÍAIS HABER ESPERADO UN POCO MÁS...

ES QUE... OS CONFIESO QUE ESTABA PREOCUPADO. TANTO TIEMPO EN EL PAÍS MALDITO... ¡TEMÍA QUE OS HUBIERA OCURRIDO ALGO MALO!

¡NADA DE ESO! TODO MARCHABA A PEDIR DE BOCA.

¡LOS PITUFOS IBAN A DARNOS OTRA FLAUTA DE SEIS AGUJEROS! ¡QUÉ RABIA!

¡TENÉIS QUE VOLVER A MANDARNOS ALLÍ CUANTO ANTES!

¡ESO! DUÉRMENOS OTRA VEZ.

¿ESTÁIS LISTOS? ¡BIEN! RELAJAOS Y MIRADME A LOS OJOS...

NO PENSÉIS EN NADA... VAIS A DORMIR... DORMIR...

¡DORMID, OS LO PIDO! ¡DORMID! ¡DORMID!

¡TENÉIS QUE DORMIR! ¡YA DORMÍS!

¿TÚ TE DUERMES?

¡NO!

¡ES INÚTIL! YA NO CONSIGO DORMIROS.

ESTÁIS JUGANDO A UN JUEGO PELIGROSO, MI SEÑOR. LOS SIERVOS ACABARÁN POR QUEJARSE AL REY, QUIEN ORDENARÁ UNA EXPEDICIÓN CONTRA VOS PARA DESPOSEEROS DE VUESTRO FEUDO.

¡EL REY, EL REY! ¡QUE NO SE META DONDE NO LE IMPORTA! ¡YO NECESITO DINERO...!

¿DE VERAS? ¡PUES TOMAD!

CLING

¡TORCHESAC!

¡EL MISMO!

EJEM... DÉJANOS SOLOS. YA NO TE NECESITO. ¡VAMOS, LARGO!

SÍ, MI SEÑOR.

¡ESTÚPIDO! TE HABÍA ADVERTIDO QUE NO TE ACERCARAS POR AQUÍ.

¿POR QUÉ? ¿TENÉIS MIEDO DE QUE SE CUENTE POR AHÍ QUE HACE TRES MESES ATAQUÉ UNA CARAVANA DE RICAS MERCANCÍAS QUE ATRAVESABA **SUS** TIERRAS Y QUE **USTED**, SEÑOR DE LA MORTAJA, COBRASTEIS PARTE DEL BOTÍN? **¡JE, JE!**

¡CALLA, DESGRACIADO!

¿A QUÉ HAS VENIDO AHORA?

A PROPONERLE UN NEGOCIO. SOIS UN GUERRERO, SEÑOR DE LA MORTAJA, PERO NO PUEDE HACER LA GUERRA PORQUE ESTÁ ARRUINADO. NO PUEDE MANTENER MÁS QUE A UN PUÑADO DE SOLDADOS MAL EQUIPADOS, PERO SI DISPUSIERA DE UN BUEN EJÉRCITO, PODRÍA ATACAR A TODOS LOS SEÑORES DE LOS ALREDEDORES Y VUESTRO INSIGNIFICANTE FEUDO SE CONVERTIRÍA PRONTO EN UNA PODEROSA PROVINCIA.

PERO PARA ESO NECESITARÁ DINERO... ¡Y YO PUEDO DÁRSELO!

...USTED INVADE EL PAÍS Y LUEGO NOS REPARTIMOS LAS TIERRAS CONQUISTADAS. ¿QUÉ ME DICE A ESO?

¡JE, JE! ¡TRATO HECHO!

MUY BIEN. EL DINERO ESTÁ ESCONDIDO EN UN BOSQUE CERCA DE AQUÍ.

¡EL MUY IDIOTA CREE QUE LO COMPARTIRÉ CON ÉL!

¡EL MUY IDIOTA CREE QUE LO COMPARTIRÉ CON ÉL!

MIENTRAS, EN CASA DEL MAGO ÓMNIBUS...

¿QUÉ? ¿HA DESPERTADO?

SÍ, PERO CON FIEBRE. CREO QUE PADECE UN AGOTAMIENTO.

ASÍ QUE LE HE DADO UNA BUENA DOSIS DE SOMNÍFERO. MAÑANA, CUANDO DESPIERTE, SE SENTIRÁ MUCHO MEJOR.

¿MA... MAÑANA?

¡ESTO ES EL COLMO!

¡ESCUDOS Y MÁS ESCUDOS! ¡ORO, PLATA Y JOYAS! MI CARRETA REBOSA RIQUEZAS. TENDRÁ MÁS QUE SUFICIENTE PARA ORGANIZAR UNA PEQUEÑA GUERRA. ¡JA, JA, JA!

A PROPÓSITO. ¿DE CUÁNTOS SOLDADOS DISPONE AHORA?

PUES... DE UNOS QUINIENTOS PERO, CON ESTE ORO, PUEDO CONTRATAR UN EJÉRCITO DE TRES MIL HOMBRES.

¡ES POCO! NECESITAREMOS POR LO MENOS DIEZ MIL. ESTO ES LO QUE HAREMOS: LE DARÉ PARTE DEL DINERO PARA EQUIPAR A SUS TRES MIL HOMBRES...

MIENTRAS, YO PARTIRÉ CON EL RESTO AL EXTRANJERO PARA RECLUTAR MERCENARIOS Y TRAERLOS AQUÍ. ¿DE ACUERDO?

¡DE ACUERDO! ¿CUÁNDO PARTIRÁS?

HOY MISMO. ESTA MISMA NOCHE PIENSO EMBARCAR EN TRUMANACH.

DEPRISA. HAY QUE PITUFÁRSELO A PAPÁ PITUFO.

¡TODO IBA DEMASIADO BIEN!

MMM.

¡SOCORROOOOO! ¡JOHAN! ¡PIRLUIT! ¡VENID DEPRISA!

¡AHÍ FUERA HAY... COSAS... COSITAS RARAS!

49

53

¡CIELOS!

¡LOS PITUFOS!

¡AH! ¡ESTÁIS AQUÍ!

¿ÓMNIBUS OS HA PITUFADO HASTA AQUÍ?

TRAEMOS LA PITUFA DE SEIS PITUFOS.

¡PODRÉIS PITUFAR A ESE PITUFO DE TORCHESAC!

¡HA SIDO UNA SUERTE PITUFARLOS!

¡EH, CUIDADO! PITUFAOS DE AHÍ.

¡UF! ¡LOS PITUFOS SIGUEN AHÍ, MENOS MAL!

¿CÓMO SABÍAIS DÓNDE ENCONTRARNOS?

DIJISTEIS QUE HABÍAIS LLEGADO AL PAÍS MALDITO GRACIAS A ÓMNIBUS.

SMAK

ASÍ QUE, CUANDO DESAPARECISTEIS, Y VIENDO QUE NO VOLVÍAIS, ME DIJE QUE TENÍAIS QUE ESTAR POR AQUÍ. ¿QUÉ HA OCURRIDO? ¿POR QUÉ ÓMNIBUS NO OS ENVIÓ DE NUEVO A POR LA FLAUTA?

PORQUE NO CONSIGUIÓ DORMIRNOS. Y AHORA, ¿FUNCIONA LA FLAUTA?

¡EH!

¡SÍ! FUNCIONA MUY BIEN.

PUES YA PODEMOS PARTIR EN BUSCA DE TORCHESAC. ¿SABÉIS DÓNDE ESTÁ?

SEGÚN LAS ÚLTIMAS NOTICIAS, SE DIRIGÍA HACIA EL CASTILLO DE LA MORTAJA. UN PITUFO OS AGUARDA ALLÍ PARA INDICAROS EL CAMINO QUE TOMÓ DESPUÉS. ¡BUENA SUERTE!

GRACIAS. ¡VÁMONOS YA, PIRLUIT! ¡DEPRISA!

¡UN MOMENTO! AQUÍ FALLA ALGO.

Peyo

50

54

ESTÁ MUY BIEN QUE ALLÍ NOS ESPERE UN PITUFO, PERO COMO NOS DIGA, POR EJEMPLO, QUE EL PITUFO SE PITUFÓ POR EL CAMINO PITUFO, NO SOLUCIONAREMOS NADA.

¡CANASTOS! ¡ES VERDAD! VOSOTROS NO HABLÁIS PITUFO, NO ME QUEDA MÁS REMEDIO QUE ACOMPAÑAROS.

BIEN. ¡VÁMONOS!

¡CARLOTA!

¡NO, NO! YA NOS PITUFAREMOS EN EL PAÍS PITUFO. ¡ANDANDO!

TENGO 542 AÑOS, PERO ES LA PRIMERA VEZ QUE MONTO A CABALLO.

Y TRAS UNA LARGA CABALGATA A TRAVÉS DE BOSQUES Y LLANURAS, NUESTROS AMIGOS AVISTAN EL CASTILLO DE LA MORTAJA.

¡EH!

¡AH! AHÍ ESTÁ.

¡DEPRISA! ¡TENÉIS QUE PITUFAROS! SE HA PITUFADO A TRUMANACH. PIENSA PITUFARSE PARA EL PITUFO...

¿QUÉ DICE?

QUE TORCHESAC HA PARTIDO A TRUMANACH PARA EMBARCARSE RUMBO AL EXTRANJERO.

¡CIELOS! HAY QUE LLEGAR ALLÍ CUANTO ANTES...

51

MIENTRAS TANTO, EN TRUMANACH...

ESTE ES EL ÚLTIMO COFRE, SEÑOR TORCHESAC. YA PODEMOS LEVAR ANCLAS.

¡BIEN!

¡MÁS DEPRISA, PIRLUIT!

¡¡IZAD LAS VELAS! ¡LARGAD AMARRAS!

¡YA HEMOS LLEGADO!

¡ES SU CARRETA! PERO... ¿Y ÉL? ¿DÓNDE ESTÁ?

PREGUNTÉMOSLE A ESE PESCADOR.

¿SABÉIS DÓNDE ESTÁ EL HOMBRE QUE LLEGÓ EN ESA CARRETA?

UNO GORDITO Y MUY FEO.

¡SÍ! EMBARCÓ EN AQUELLA NAVE...

¿HAY ALGÚN BARCO EN EL PUERTO CAPAZ DE ALCANZARLO?

ESO SÍ QUE NO. AQUÍ NO HAY MÁS QUE BARCAS DE PESCADORES. ¡NO VALE LA PENA INTENTARLO!

¿SABÉIS HACIA DÓNDE SE DIRIGE?

PUES NO...

¡PUES YA PODRÍAIS SER MÁS CURIOSO DE VEZ EN CUANDO!

¡PIRLUIT! ¡ES PRECISO AVERIGUAR HACIA DÓNDE SE DIRIGE ESE BARCO! ES NUESTRA ÚLTIMA OPORTUNIDAD PARA DAR CON TORCHESAC. VE EN ESA DIRECCIÓN Y PREGUNTA A TODO EL MUNDO.

¡MUY BIEN!

HORAS MÁS TARDE, AL ANOCHECER...

¿Y BIEN?

¡NADA! ¿Y TÚ?

¡NADA! ESTA VEZ ESTÁ TODO PERDIDO.

¡EH!

¡VAYA! ¡ES PAPÁ PITUFO! ¿DE DÓNDE VIENE?

FUI EN BUSCA DEL PITUFO QUE SIGUIÓ A TORCHESAC HASTA AQUÍ. CREÍA QUE PODRÍA SABER HACIA DÓNDE SE DIRIGÍA ESE BARCO. POR DESGRACIA, NO ES ASÍ.

PERO EN CAMBIO, ME HA CONTADO QUE TORCHESAC HA HECHO UN PACTO CON EL SEÑOR DE LA MORTAJA. TRAERÁ UN EJÉRCITO DE MERCENARIOS CON LOS QUE INVADIRÁ TODO EL PAÍS.

¡CIELOS! EN ESE CASO, AÚN NOS QUEDA UNA ESPERANZA. ¡EL SEÑOR DE LA MORTAJA DEBE DE SABER DÓNDE HA IDO TORCHESAC!

¡ATIZA, PUES ES VERDAD! ¡VAMOS! IREMOS EN BUSCA DE ESE SINIESTRO CABALLERO. SI SE NIEGA A HABLAR, LE HARÉ BAILAR EL SON DE LA FLAUTA HASTA QUE SE AGOTE.

¡NO! ¡ESPERA!

PODRÍA DECIRNOS QUE NO SABE NADA, O PEOR AÚN, DARNOS UNA DIRECCIÓN FALSA...

ES VERDAD... ¿QUÉ VAMOS A HACER?

TENGO UN PLAN. ESCÚCHAME BIEN...

ALGO MÁS TARDE, EN EL CASTILLO DE LA MORTAJA...

OCHO... NUEVE... DIEZ... ¡Y VAN CIEN! SEIS MIL TRESCIENTOS ESCUDOS... ¡JE, JE! UNO... DOS...

¿QUIÉN ES? ¿QUIÉN ANDA AHÍ?

TOC TOC TOC

UN MUCHACHO OS HA TRAÍDO ESTE PERGAMINO, MI SEÑOR. DICE QUE ES MUY URGENTE.

¡AH!

¿DE QUIÉN SERÁ EL MENSAJE?

"HAN DESCUBIERTO NUESTRO PLAN. NO PUEDO EXPLICARLE LO OCURRIDO PORQUE MI BARCO VA A ZARPAR. REÚNASE CONMIGO CUANTO ANTES. UN PESCADOR AGUARDA EN TRUMANACH. MATÍAS TORCHESAC."

¡EH! ¡TRAEDME LAS BOTAS Y LAS ROPAS DE VIAJE! ¡QUE ENSILLEN MI CABALLO INMEDIATAMENTE!

POCO DESPUÉS...

¡AHÍ VIENE!

SOY EL SEÑOR DE LA MORTAJA. ¿TU BARCA ESTÁ LISTA PARA ZARPAR?

SÍ, MI SEÑOR. OS AGUARDABA. YA PODEMOS LEVAR EL ANCLA.

¡PON RUMBO AL OESTE!

TRES DÍAS MÁS TARDE...

¡AAAAAY! ¡QUÉ MAL ME SIENTO!

¡HAZ ALGO PARA QUE EL BARCO NO SE MUEVA TANTO O VOY A MORIR!

BIEN, BIEN...

¿CÓMO QUE "BIEN, BIEN"?

EJEM. QUISE DECIR MAL, MAL...

¿TODO EN ORDEN?

PARA MÍ SÍ. PERO PARA MORTAJA... ¡ECHAD UN VISTAZO!

LLEVA TRES DÍAS HACIÉNDOSE MALA SANGRE POR ESE MENSAJE QUE RECIBIÓ... ¡COMO SE ENTERE DE QUE FUISTEIS VOS QUIEN SE LO MANDÓ!

¡SST! ¡PODRÍA OÍRTE!

¡QUÉ MALA SUERTE! ¿QUÉ HABRÁ OCURRIDO? ¡Y ESTA MALDITA CÁSCARA DE NUEZ NO AVANZA NADA!

@?☆#°⨀#!

¡AH! ¡POR FIN!

¡ESPERADME AQUÍ!

¡VAMOS! ¡NO HAY QUE PERDERLO DE VISTA! ¿TIENES LA FLAUTA?

SÍ.

BUENA SUERTE.

59

PFFFF...

PFFFF...

¡UF! YA ESTÁ... LE HE... VENCIDO...

¡AQUÍ HAY UNA FORTUNA! MENOS MAL QUE HEMOS LOGRADO RECUPERARLA ANTES DE QUE ESTOS GRANUJAS SE LA GASTARAN EN SU SINIESTRO PROYECTO.

Y AHORA TENEMOS DOS FLAUTAS DE SEIS AGUJEROS. ¡UNA PARA TI Y OTRA PARA MÍ! ¡QUÉ DIVERTIDO!

NO, PIRLUIT. HAY QUE DEVOLVER LAS FLAUTAS A LOS PITUFOS.

¿ESTÁS LOCO? ¿POR QUÉ?

PORQUE SON DEMASIADO PELIGROSAS. ¡YA VES A LO QUE NOS HAN LLEVADO!

GRACIAS A UNA FLAUTA COMO ESA SE HAN SAQUEADO MUCHOS PUEBLOS Y POR POCO ESTALLA LA GUERRA EN TODO EL PAÍS.

MMMM. ¡CON LO QUE ME GUSTARÍA PODER QUEDARME CON UNA!

¡DE ESO NADA! ESAS FLAUTAS TIENEN QUE VOLVER AL PAÍS DE LOS PITUFOS. POR LO MENOS, ALLÍ NO HARÁN NINGÚN MAL A NADIE.

¡PSST! ¿NO TENDRÍAIS UN TROZO DE MADERA DE ESTE TAMAÑO Y UN CUCHILLO?

¡OH, SÍ! UN MOMENTO. VOY A BUSCARLO.

Peyo 58

TRES DÍAS DESPUÉS, A ALGUNAS LEGUAS DE TRUMANACH...

¡YA LLEGAN, PAPÁ PITUFO! ¡YA LLEGAN!

¿Y BIEN?

¡VICTORIA, PAPÁ PITUFO! TRAEMOS A TORCHESAC, AL SEÑOR DE LA MORTAJA, EL BOTÍN Y LAS DOS FLAUTAS!

¡HURRA!

¡ME ESTÁN ENTRANDO GANAS DE PITUFARLES UN BUEN PITUFAZO EN LA PITUFOROTA A ESTE PAR DE PITUFOS!

PERO, ¿DÓNDE ESTÁ PIRLUIT? ¿LE HA OCURRIDO ALGO?

¡OH, NO! VIENE UN POCO REZAGADO. NO SÉ LO QUE LE OCURRE ÚLTIMAMENTE, PERO SE PASA LA VIDA OCULTO EN ALGÚN RINCÓN HACIENDO NO SÉ QUÉ.

UN TOQUECITO MÁS Y HABRÉ TERMINADO.

¡YA ESTÁ! ES PERFECTA. ¡EXACTAMENTE IGUAL A LA OTRA!

¡SAPRISTI! ¡LOS PITUFOS! ¡JUSTO A TIEMPO!

... Y CUANDO DESPERTÉ, PIRLUIT YA HABÍA MANIATADO A LOS DOS BANDIDOS, A LOS QUE OBLIGAMOS A EMBARCAR EL ORO ROBADO, ¡Y AQUÍ NOS TENÉIS!

¡BRAVO! TODO HA VUELTO A LA NORMALIDAD. LOS MALOS SERÁN CASTIGADOS Y EL DINERO DEVUELTO A SUS PROPIETARIOS. EN CUANTO A LAS FLAUTAS... EJEM... ¿PENSÁIS QUEDAROS CON ELLAS?

¡NADA DE ESO! QUEREMOS DEVOLVERLAS. ¿NO ES ASÍ, PIRLUIT?

¡CLARO, CLARO!

¡SOIS MUY SENSATOS! CREEDME, ESAS FLAUTAS NO OS TRAERÍAN MÁS QUE QUEBRADEROS DE CABEZA...

ESO MISMO LE DECÍA YO A JOHAN.

[59]

PITUFO*

*FIN